A Menina do Leite

NO ALTO DE UMA MONTANHA, VIVIAM UMA LINDA MENINA DE TRANÇAS E SUA MÃE. A VIDA NÃO ERA NADA FÁCIL PARA ELAS.

TODOS OS DIAS, CEDINHO, A MENINA ACORDAVA, PENTEAVA SEUS BELOS CABELOS E SAÍA PARA ORDENHAR SUAS CABRAS.

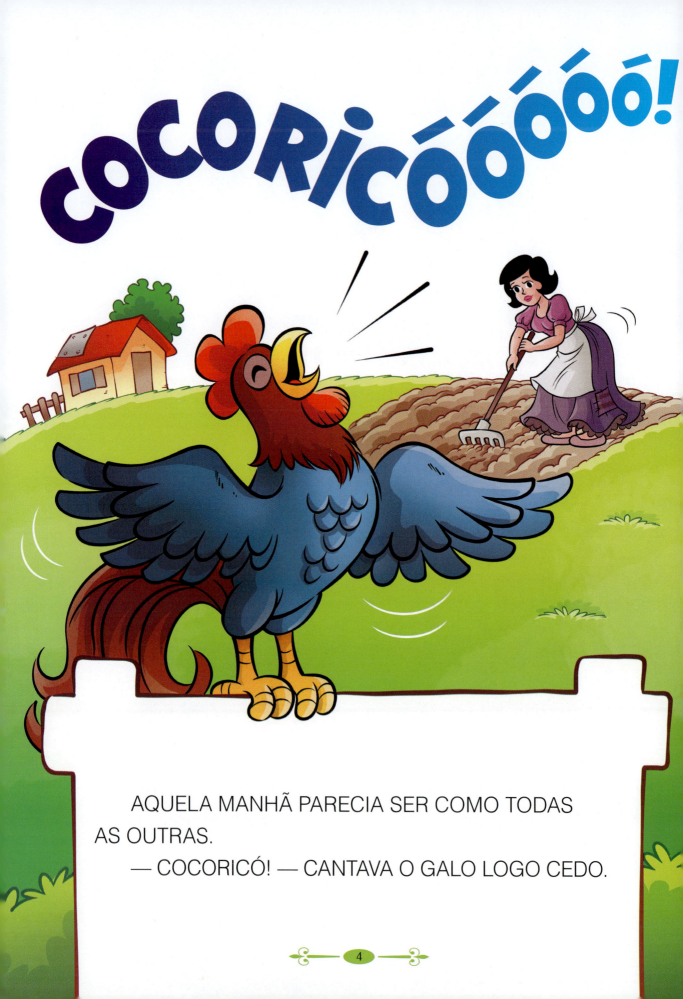

AQUELA MANHÃ PARECIA SER COMO TODAS AS OUTRAS.
— COCORICÓ! — CANTAVA O GALO LOGO CEDO.

— BLÉM, BLÉM! — SOAVAM OS SINOS NO PESCOÇO DAS CABRAS.

— AI, AI, JÁ VOU! — DIZIA ELA, ENQUANTO VESTIA O AVENTAL E SE APRESSAVA PARA COMEÇAR MAIS UM DIA DE MUITO TRABALHO NO CAMPO.

PUXA DAQUI, APERTA DE LÁ, BALDE VEM, LEITE VAI... E O RECIPIENTE FOI ENCHENDO, ENCHENDO... ENCHENDO TANTO QUE QUASE TRANSBORDOU!

AS CABRAS NUNCA HAVIAM PRODUZIDO TANTO LEITE! SURPRESA E FELIZ, A MENINA RESOLVEU VENDER TODO O LEITE NA FEIRA DO POVOADO. COLOCOU O JARRO DE LEITE NA CABEÇA E PARTIU, TODA CONTENTE A CANTAR.

— COM O DINHEIRO DO LEITE, VOU COMPRAR CEM OVOS BEM FRESQUINHOS. E, DOS OVOS, SAIRÃO CEM PINTINHOS — SONHAVA A MENINA.
— QUANDO OS PINTINHOS SE TORNAREM FRANGOS GORDOS E FORTES, VOU VENDÊ-LOS PELO MELHOR PREÇO!

— UM TOSTÃO, DEZ TOSTÕES, CEM, MIL...
— EM SUA IMAGINAÇÃO, A MENINA ATÉ SE PERDIA NAS CONTAS.

— DEPOIS, COMPRAREI UM PORCO, QUE SE ALIMENTARÁ NA HORTA DA MAMÃE. E QUANDO ELE ESTIVER BEM GORDINHO, VOU VENDER PELO PREÇO MAIS ALTO QUE PUDER.

A MENINA MAL PODIA ESPERAR PARA QUE TODOS DO POVOADO SOUBESSEM QUE ELA TERIA VENDIDO O PORCO MAIS CARO DA HISTÓRIA.

E, COMO SONHAR NÃO CUSTA NADA, CONTINUOU FAZENDO MAIS E MAIS PLANOS:
— COM O DINHEIRO DA VENDA DO PORCO, PODEREI COMPRAR UMA VACA E UM BEZERRO, QUE ME AJUDARÃO A TER A MELHOR LEITERIA DA REGIÃO!

COMO O EMPREENDIMENTO DARIA MUITO DINHEIRO, A MENINA CONTINUAVA A SONHAR:
— HUM... COMPRAREI BELOS VESTIDOS, E SEREI A PRINCESA DAS MONTANHAS. TODAS AS MENINAS DO POVOADO VÃO ME ADMIRAR!

A MENINA CAMINHAVA TÃO DISTRAÍDA, QUE NÃO VIU UMA PEDRA ENORME À SUA FRENTE. ALÉM DELA, CAÍRAM AO CHÃO TAMBÉM O JARRO, TODO O LEITE QUE HAVIA NELE, E SEUS BELOS PLANOS.
— AH... ADEUS AOS PINTINHOS, AO PORCO, À VACA, AO BEZERRINHO... ADEUS TAMBÉM

À MELHOR LEITERIA DA REGIÃO, AOS LINDOS VESTIDOS... POR QUERER DEMAIS, FIQUEI SEM NADA — LAMENTAVA A POBRE MENINA.

A MENINA VOLTOU PARA CASA TÃO TRISTE... ERA A MESMA TRILHA DE SEMPRE, AS MESMAS PEDRAS NO CHÃO, AS MESMAS ÁRVORES E OS MESMOS ANIMAIS NOS ARREDORES.

QUANDO SUA MÃE SOUBE DO OCORRIDO, CONSOLOU A MENINA:

— NÃO FIQUE TRISTE, FILHA! MAS, DA PRÓXIMA VEZ, LEMBRE-SE: PARA QUE OS SONHOS SE TORNEM REAIS, ABRA BEM OS OLHOS, TENHA PACIÊNCIA E VÁ COM CALMA.